Arte terapia

FANTASIA CELTA

LIVRO DE COLORIR

ANTIESTRESSE

Ilustrações de Michel Solliec

EDITORA ALAÚDE

Título original: *Art-thérapie Celtique – 100 coloriages anti-stress*

O texto deste livro foi fixado conforme o acordo ortográfico vigente no Brasil desde 1º de janeiro de 2009.

EDIÇÃO ORIGINAL: HACHETTE-LIVRE

DIREÇÃO: Catherine Saunier-Talec

DIREÇÃO DE ARTE: Antoine Béon

EDIÇÃO: Anne Le Meur

ILUSTRAÇÕES: Michel Solliec

CAPA: Nicole Dassonville

DIAGRAMAÇÃO: Patrick Leleux PAO

PRODUÇÃO EDITORIAL: EDITORA ALAÚDE

TRADUÇÃO DO PREFÁCIO: Célia Regina Rodrigues de Lima

ADAPTAÇÃO DA CAPA: Cesar Godoy

IMPRESSÃO E ACABAMENTO: EGB – Editora Gráfica Bernardi Ltda.

1º edição, 2015 (6 reimpressões)

Impresso no Brasil

Dados Internacionais de Catalogação na Publicação (CIP)
(Câmara Brasileira do Livro, SP, Brasil)

Solliec, Michel
Fantasia celta / Michel Solliec; ilustrações do autor; [tradução do prefácio Célia Regina Rodrigues de Lima]. -- São Paulo: Alaúde Editorial, 2015. -- (Arteterapia)

Título original: Art thérapie celtique: coloriages anti-stress.

ISBN 978-85-7881-282-9

1. Arteterapia 2. Artes - Uso terapêutico 3. Celtas 4. Livros para colorir I. Título. II. Série.

15-01432 CDD-615.85156

Índices para catálogo sistemático:
1. Arteterapia 615.85156

2015
Alaúde Editorial Ltda.
Rua Hildebrando Thomaz de Carvalho, 60
04012-120, São Paulo, SP
Tel.: (11) 5572-9474
www.alaude.com.br

Prefácio

Trísceles, entrelaçados, volutas e espirais são os principais motivos que caracterizam a arte celta. O domínio perfeito da bússola, o gosto acentuado pelo figurativo e a complexidade visual deram origem a um trabalho artístico original e propício à imaginação. Na ausência do uso da escrita, é um testemunho valioso da maneira como os antigos celtas se expressavam.

Essa arte se desenvolve nos primeiros séculos da era cristã. Usando motivos indígenas e orientais, o artesão celta construiu suas obras, misturando num mesmo objeto símbolos e elementos dos mundos humano, animal e vegetal. Essa operação, denominada "metamorfose plástica", gera formas inéditas e uma iconografia alusiva que oferece uma infinidade de leituras possíveis, expressando sem dúvida conceitos religiosos.

Na Irlanda, essa arte sobrevive à evangelização do século V e é um dos fundamentos da arte cristã, por meio da iluminação. O apogeu são os evangelhos do *Livro de Kells* (século IX), no qual este livro se baseia. Com curvas infindáveis, espirais e entrelaçados, o espaço repleto de símbolos cria um aspecto hipnótico, em que forma e conteúdo não podem ser distinguidos. Em uma sociedade dominada pela cultura oral, a iluminação proporciona uma compensação visual da escrita.

Neste livro, Michel Solliec nos convida a mergulhar em um mundo artístico em constante movimento, com uma linguagem simbólica inesgotável.

Gaël Hily
Centro de Pesquisas Bretão e Celta
Universidade de Rennes 2

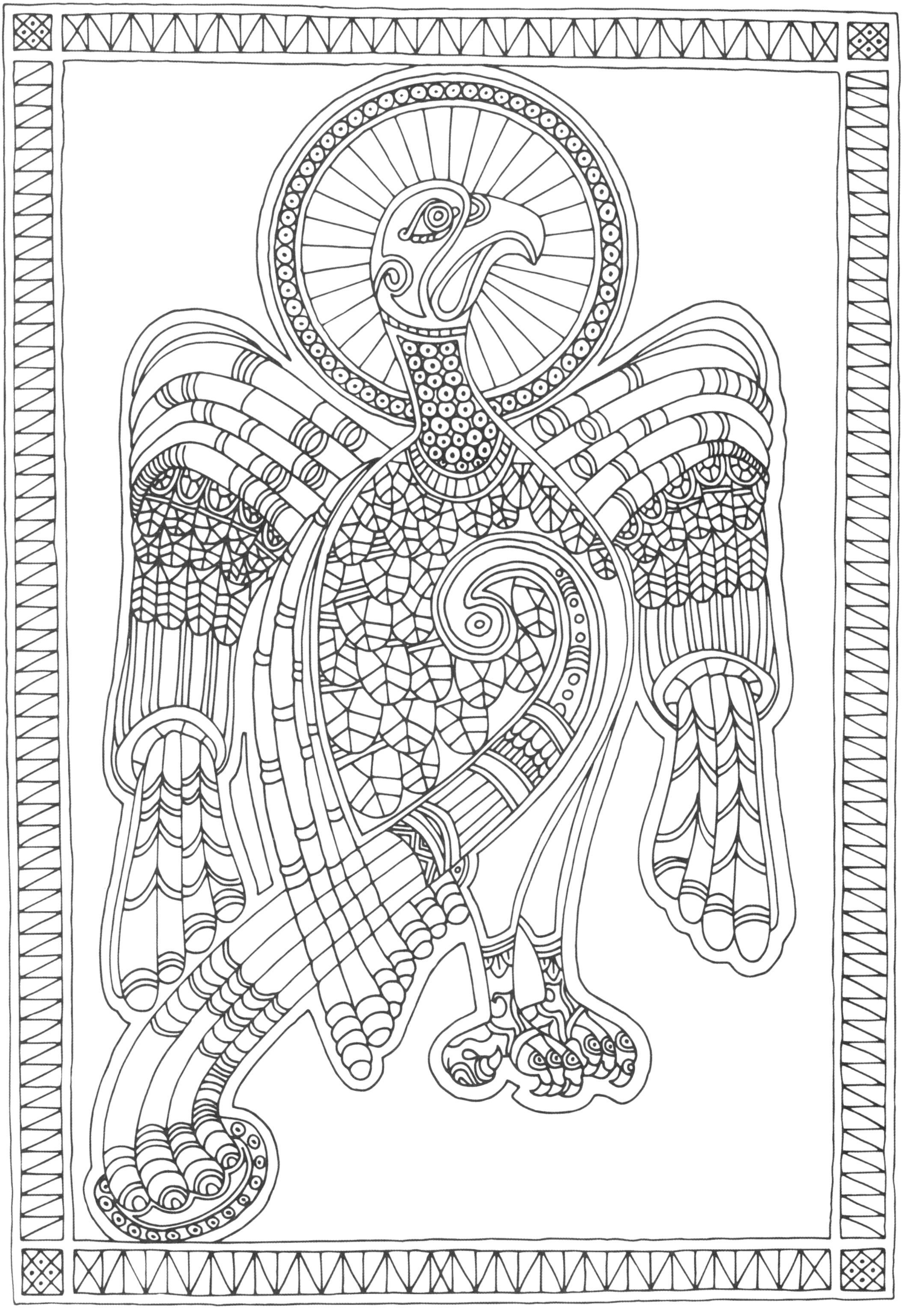

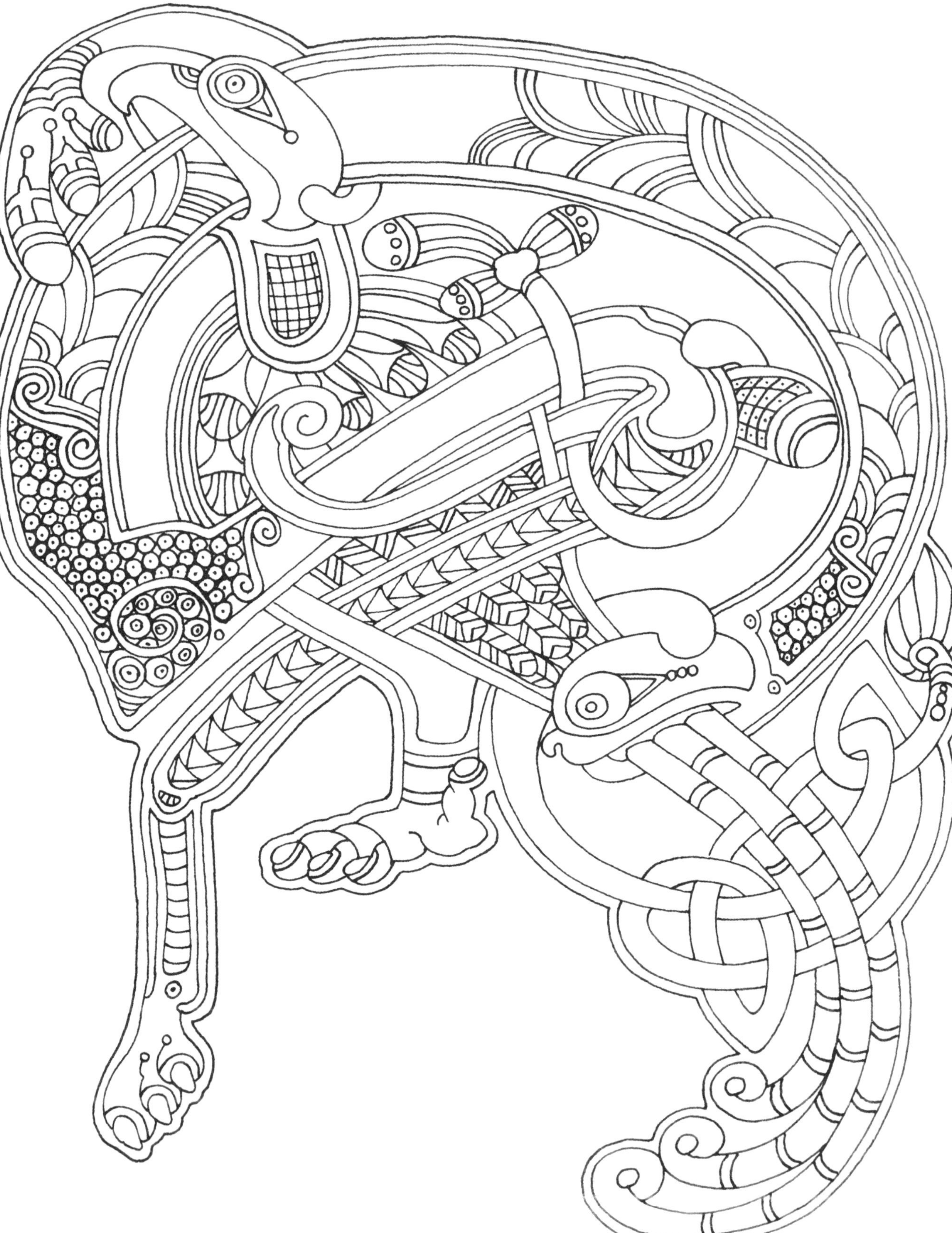

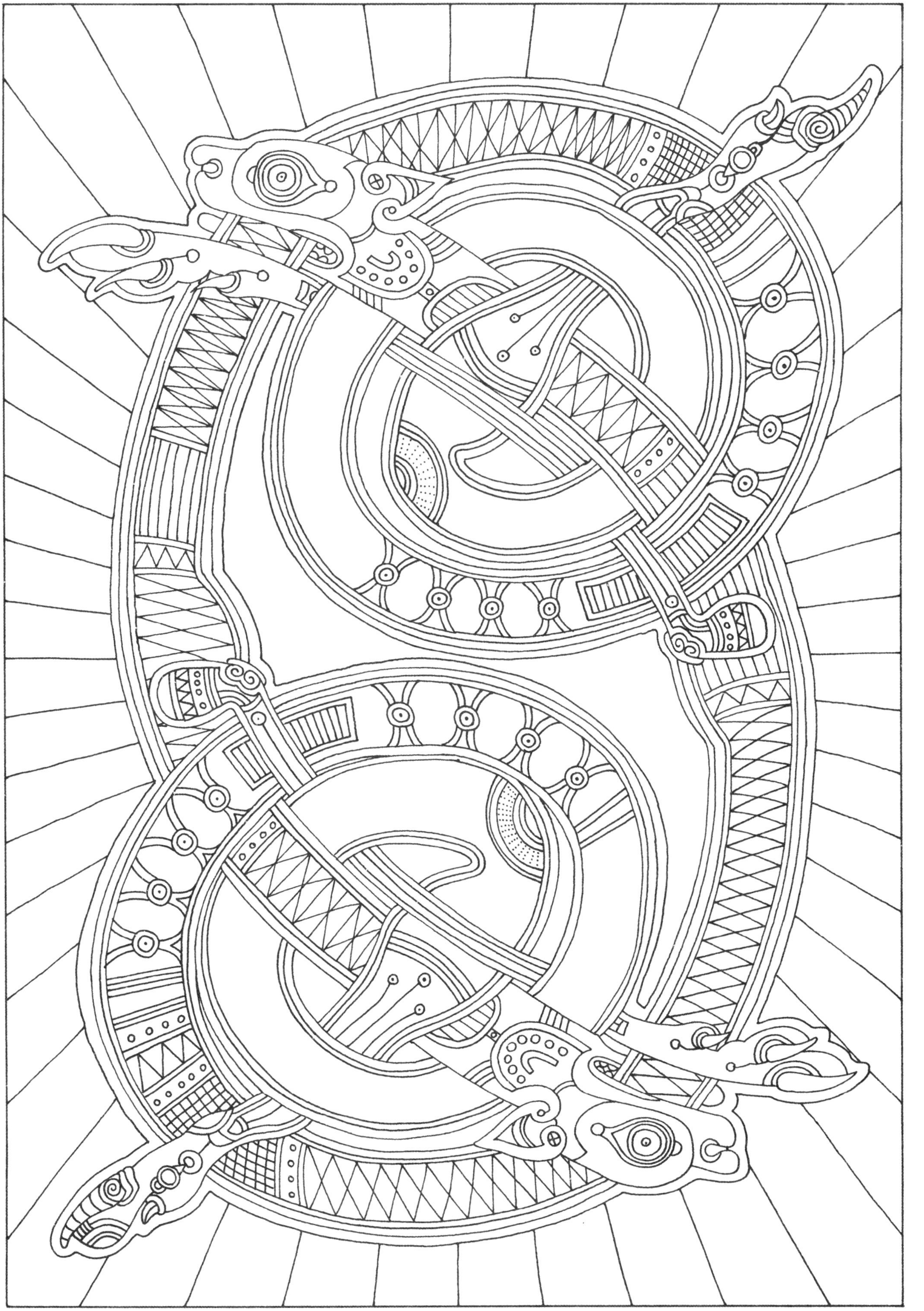

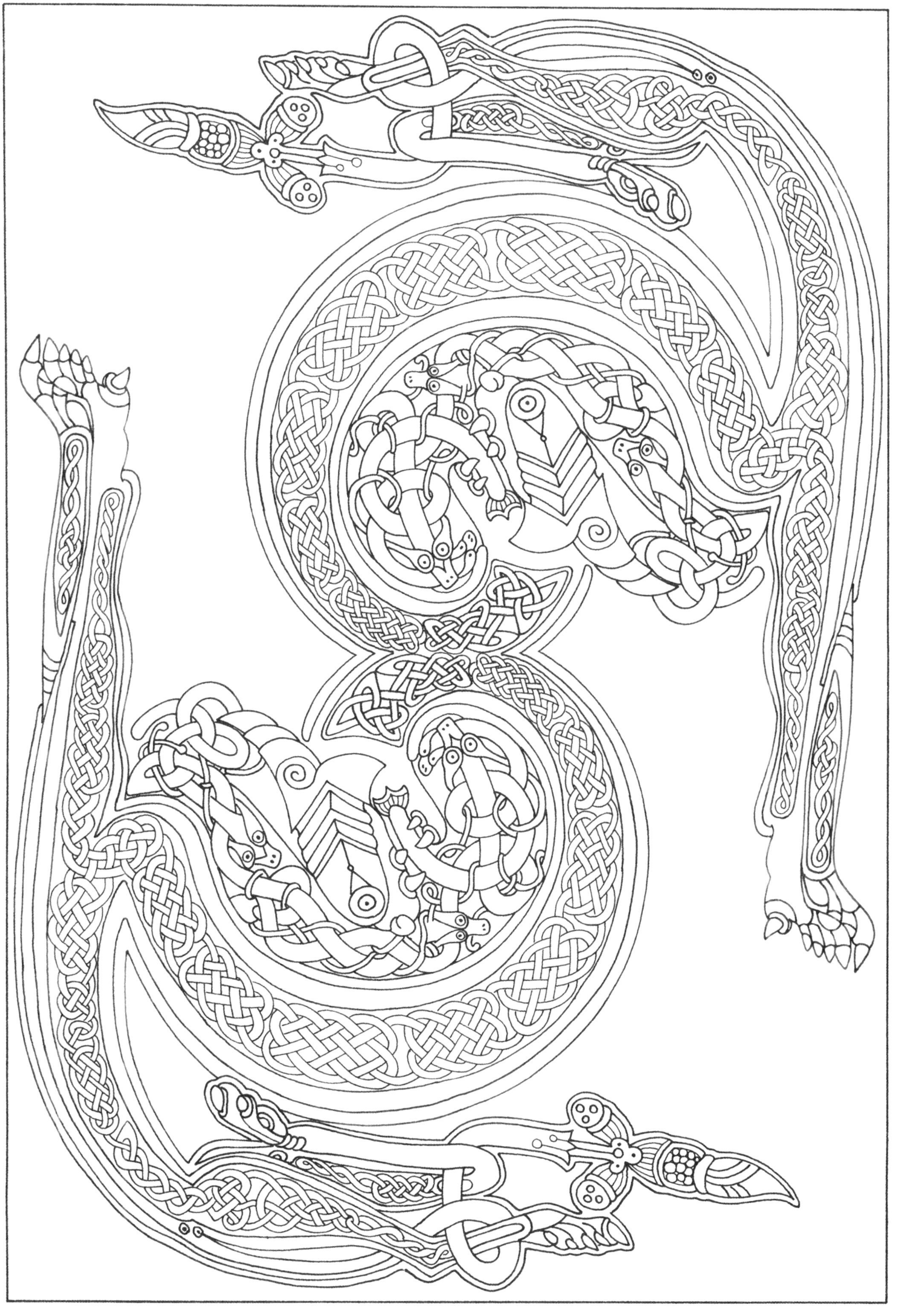

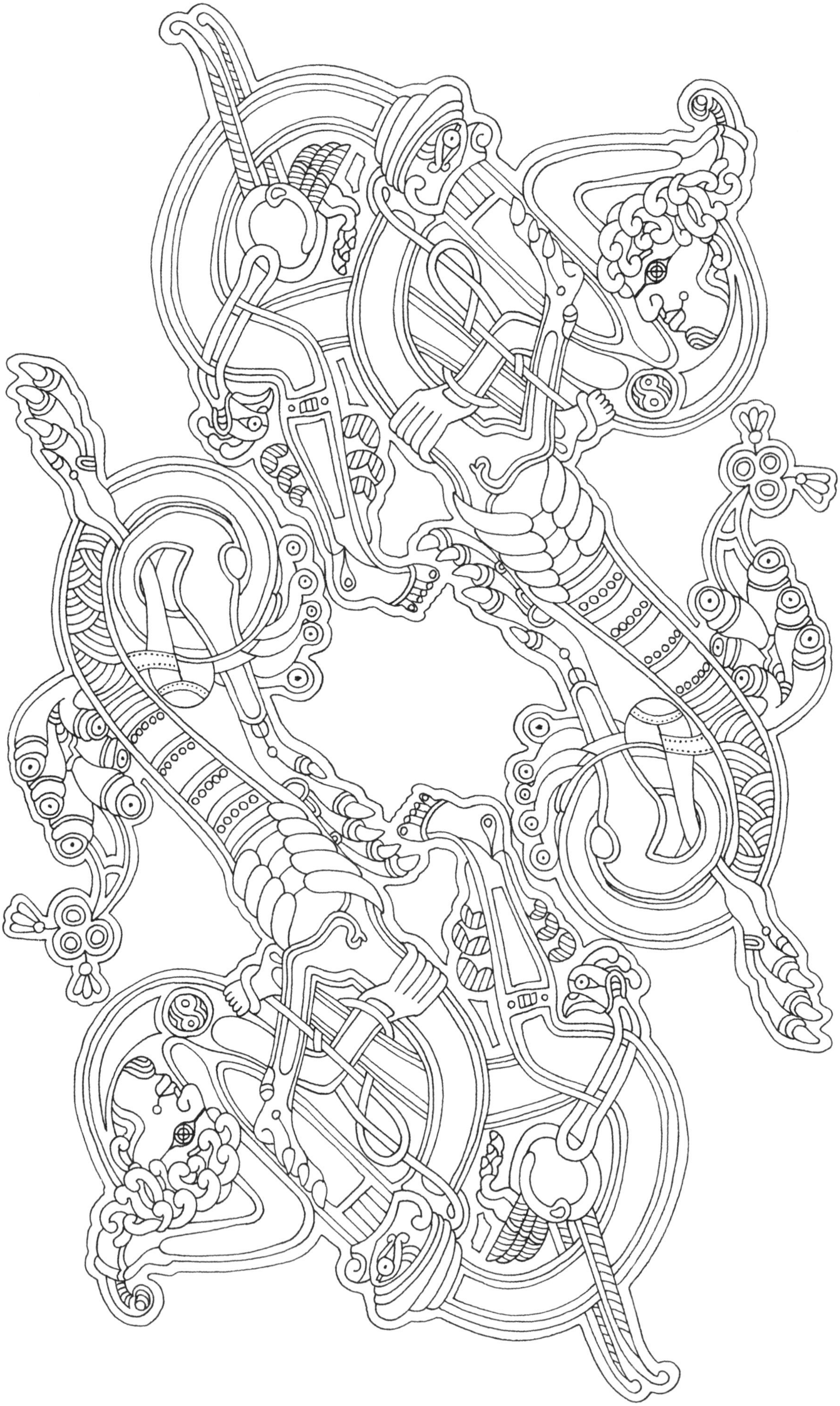

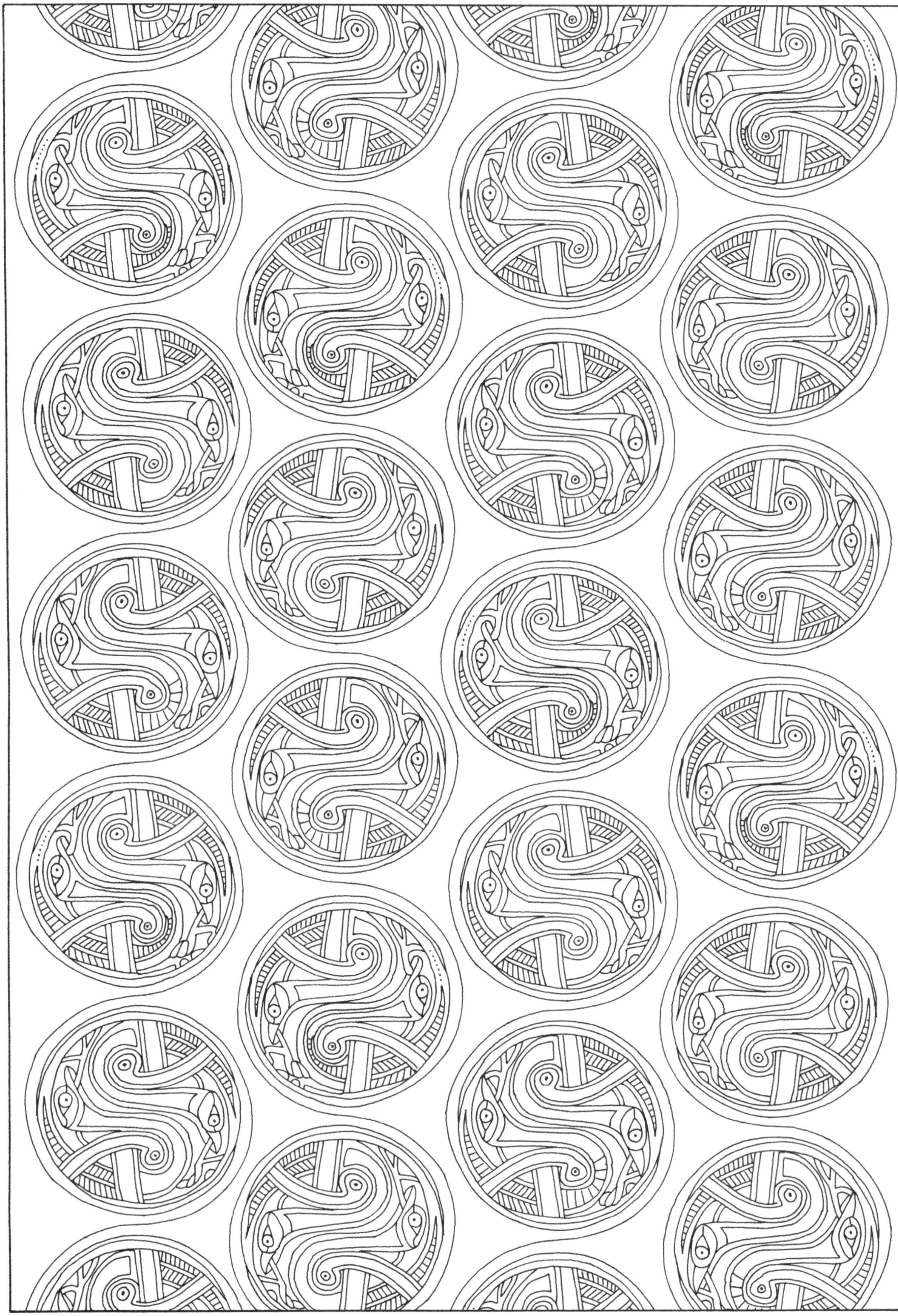

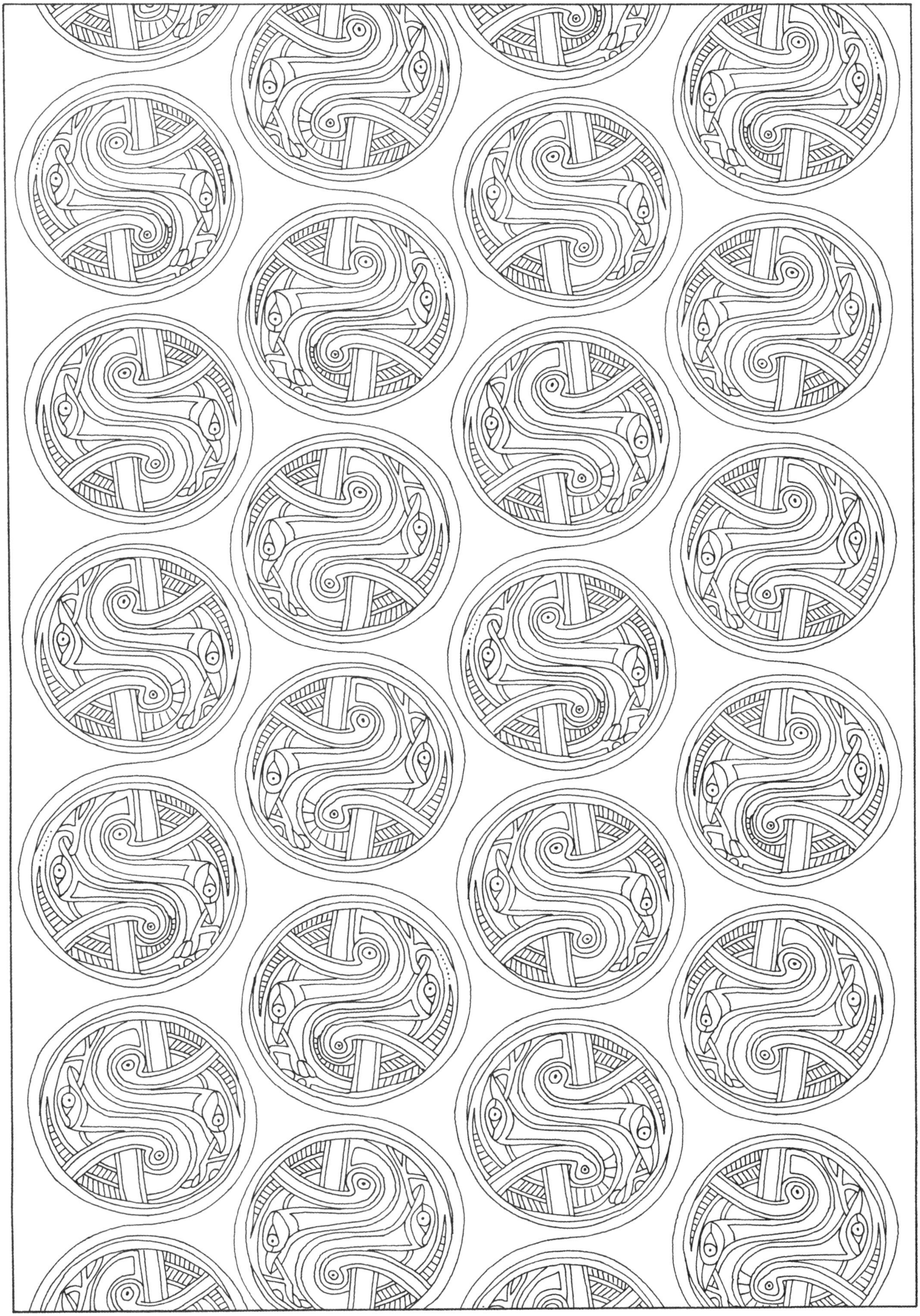